D1535361

Comment devenir le meilleur GRAND-PÈRE au monde

textes:

Valérie Caron
Laurence Cayer-Desrosiers
Marianne Prairie

Illustrations:

Christine Battuz

CAR
ACT
ERE

Conception graphique,
couverture et mise en page:
Kuizin

Textes:
Valérie Caron
Laurence Cayer-Desrosiers
Marianne Prairie

Illustrations:
Christine Battuz

Révision:
Françoise Major-Cardinal

Correction d'épreuves:
Violaine Ducharme

Imprimé au Canada

ISBN : 978-2-89642-434-4

Dépôt légal - Bibliothèque
et Archives nationales du Québec, 2012
© 2012, Éditions Caractère

Gouvernement du Québec -
Programme de crédit d'impôt pour l'édition de livres -
Gestion SODEC
Nous reconnaissons l'aide financière du gouvernement
du Canada par l'entremise
du Fonds du livre du Canada (FLC)
pour nos activités d'éditions.

Consultez le site des Éditions Caractère :
editionscaractere.com

Comment devenir le meilleur grand-père au monde

Être grand-père n'est pas une tâche facile:
il faut constamment lutter pour gagner le cœur
de ses petits-enfants, surtout par rapport
à son ou ses autres grands-pères...

Dans les pages suivantes, vous découvrirez
30 astuces qui feront de vous non seulement
un meilleur grand-père, mais surtout
LE meilleur grand-père au monde!

1

Le meilleur
grand-père
du monde
me laisse
conduire
le tracteur
à gazon.

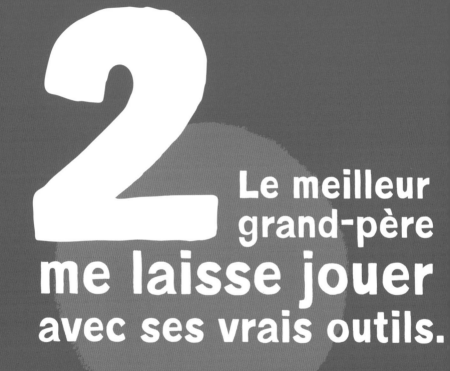

2 Le meilleur grand-père **me laisse jouer** avec ses vrais outils.

3 Le meilleur
grand-père
veut bien
que je l'aide à réparer
la clôture, même si je
suis un peu moins bon
que lui.

4 Le meilleur
grand-père
me donne
toujours 10/10
au championnat de
plongeon de la cour
arrière.

5

Le meilleur grand-père est le seul encore debout à la fin de mon spectacle de marionnettes,

« La très, très longue vie de monsieur Toutou ».

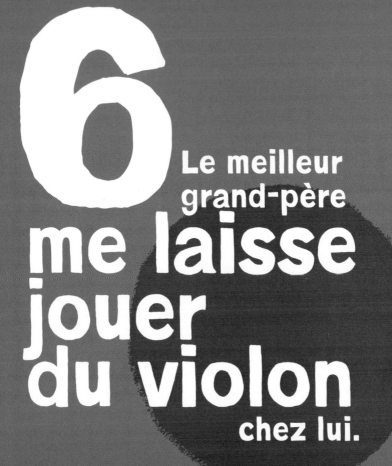

6 Le meilleur grand-père **me laisse jouer du violon** chez lui.

7

Le meilleur
grand-père
me donne du jus
très
sucré.

8

**Le meilleur grand-père
me lance loin**
dans la piscine.
Encore.
Et encore.
Et encore.

9

Le meilleur grand-père me laisse m'asseoir **à l'avant** de la voiture et contrôler les essuie-glace.

10

Grâce au meilleur grand-père, j'ai pu attraper **le plus gros poisson** du lac.

11

Le meilleur
grand-père
me donne
le meilleur
morceau
de poulet.

12

Le meilleur grand-père m'a construit une cabane dans l'arbre de la cour.

13

Le meilleur grand-père m'aide

pour mon travail de sciences.

14

Le meilleur grand-père **m'achète le cadeau que je veux** et qui fait capoter mes parents.

15

Le meilleur
grand-père
m'emmène
au chalet
et je ne **suis**
PAS obligé
de me laver.

16

Le meilleur
grand-père
m'achète **TOUTE**
la caisse de palettes
de chocolat
que je dois vendre.

17

Le meilleur grand-père du monde
est à jour dans la mode des bonbons.

Il a compris

que les jujubes superjuteux-et-
surettes-avec-un-centre-de-glue-
mauve-pétillante,

ce sont vraiment
les meilleurs.

18

Le meilleur grand-père répond toutes les fois que je lui demande : « **Mais pourquoi ?** »

19

Le meilleur grand-père
me permet de
porter mon costume
d'Halloween
toute l'année
pour aller au parc ou à l'épicerie.

20

Le meilleur grand-père du monde
**a autant de
plaisir que moi**
dans les autos
tamponneuses.

21

Le meilleur
grand-père
me nomme
président
honoraire
de sa compagnie.

22

Le meilleur grand-père accepte d'être le gardien de mon musée des insectes.

23

Le meilleur grand-père
me laisse
promener
son chien.

24

Le meilleur
grand-père
est superéquipé
en jeux
vidéo.

25

Le meilleur grand-père
est d'accord avec moi :
les ustensiles,
c'est
surévalué!

26

Le meilleur grand-père
dit qu'il m'aime
aussi gros
que son camion.

27

Le meilleur grand-père m'a déjà **sauvé la vie !**

28

Le meilleur grand-père
me laisse toujours
la meilleure
place sur le
sofa.

29

Le meilleur
grand-père
me laisse jouer
avec sa tablette
quand j'ai mangé toute
mon assiette.

30

Le meilleur
grand-père
**aime tout
ce que je publie
sur Internet,**
même lorsqu'il ne comprend pas trop.

Également disponible
aux éditions Caractère